일그러진 사랑

일그러진 사랑

발 행 | 2024년 02월 08일
저 자 | 이재인
펴낸이 | 한건희
펴낸 곳 | 주식회사 부크크
출판사등록 | 2014.07.15.(제2014-16호)
주 소 | 서울특별시 금천구 가산디지털1로 119 SK트윈타워 A동 305호
전 화 | 1670-8316
이메일 | info@bookk.co.kr

ISBN | 979-11-410-7102-8

www.bookk.co.kr

일그러진 사랑

이재인 지음

목차

한 입 마셔보니 나도 모르게 구역질이 났다.
그 발포 비타민에서 지금까지 맡아본 적 없는 역겨운 향이
마구 코를 찔렀다.
 차라리 버릴 걸, 하고 이제 와서 후회해봤자 늦었다.

내 인생은 줄곧 절망의 연속이었다.

 어쩌면 이보다 더한 밑바닥은 없을지도 모른다. 유년기 때
부터 아버지는 나를 학대했다. 아버지는 술과 도박에 빠져
살아 얼마 없는 돈까지도 모조리 다 도박에 걸고 어머니는
도박 중독자인 아버지가 싫어 나와 형을 두고 도망치듯 집
을 떠났다. 어쩌면 형의 인생이 더 절망적이라 부를 수 있겠
다.
나와 겨우 1살 차이가 나는 형은 무책임한 아버지를 뒤로하
고 멍든 팔로 나에게 된장국을 끓여주었다. 어렴풋이 기억나
는 어릴 때는 형이 해주는 밥이 가장 맛있었다. 하지만 조금
더 크고 나는 형의 밥을 더이상 받아먹지 않았다. 동네 편의
점에서 가장 싼 500원짜리 라면을 사서 3끼니를 모두 때웠
다. 물론 형에게는 비밀로 했다. 그게 고작 7살이었다. 밝고
건강한 유년기를 보내야 할 6살에게는 너무나 큰 시련이었
기에 나는 일찍 철이 들었다. 다른 아이들과 차이 나는 성격
탓에 나는 늘 곁에 친구라고 부를 수 있는 이들이 없었다.
내 얼굴에는 늘 우울이 번져 있었다.
 초등학교에 막 입학했을 때에는 집에서 쫓겨날 위기에 처
하고 말았다. 월세가 밀렸다. 고작 25만 원이었던 월세는 어
느새 400만 원 가까이 늘어있었다. 5살 때 나의 아버지가
직장에서 잘린 후로부터 도박에서 전 재산을 다 써 버려서
우리에게 남은 돈은 120만 원이 채 되지 않았다. 그 급박한
순간 아버지는 폐암에 걸렸다. 아홉 살 정도였던 형은 그 12
0만 원을 아버지 병원비에 모조리 다 썼다. 그러나 아버지는
얼마 안 가 세상을 떠났다. 아버지 병원비에 돈을 써 버려서

결국 돈이 거덜 났다. 결국, 집에서 쫓겨난 우리는 길바닥에 나앉아서 살았다.

가진 돈이라고는 겨우 2만 원뿐이었다. 하루에 500원씩만 쓰며 그렇게 일주일을 버텼다.

그러다 기적 같은 일이 일어났다. 길거리 캐스팅을 당했다. 유명 소속사에게, 그것도 대한민국 3대 기획사에게 나는 캐스팅을 당해버렸다. 그 일은 내 인생을 송두리째 바꿔놓았다. 잘난 것 하나 없지만, 얼굴은 모난 곳 없던 나를 알아보고 그 아저씨들은 나를 데려갔다. 하지만 형을 빼고 날 강제로 데려갔다. 형도 데려가면 안 되냐고 사정했지만, 그들은 내 말을 들은 체하며 나를 자동차 뒷자리에 태웠다. 형은 미친 듯이 자동차 창문을 두들겼지만 차는 출발하고 말았다. 형은 엉엉 울며 차를 따라왔고, 나는 형을 보고 대성통곡하며 자동차 유리 뒷부분을 두드렸다.

그 이후로 난 형을 영영 못 보게 되었다. 어린 나이였어서 그 동네가 어디인지도 파악할 수 없었다. 그제야 알아챘다. 그건 기적이 아니었다. 더욱더 깊은 절망의 시발점이었다. 세상 물정 모르는 어린아이를 데려가는 건 참 쉬운 일이었다. 나에게 내세울 것이라고는 얼굴뿐이었다. 그때부터 난 내 얼굴이 참 싫었다. 잘생겨서 싫었다. 얼굴 때문에 형을 잃었다. 그 죄책감이 매일 나를 옥죄여왔다. 그들은 알 수 없는 글자들이 새겨진 계약서 종이에 내 지문이 담긴 도장을 억지로 찍었다. 발버둥 쳤지만 내 지문은 이미 계약서에 찍혔고, 더 이상 내가 할 수 있는 것은 없었다. 내 인생은 그렇게 더 밑바닥으로 추락하였다.

평소에는 입에 대지도 않던 된장국이 유난히 땡겼다. 배달 앱을 켜고 홀린 듯이 만 원어치 된장국을 시켰다. 배달을 기다리는 중에는 매니저에게 장문의 카톡이 왔다. 지난밤의 일을 떠올리며 그닥 달갑지 않은 자세로 알림을 눌렀다. 역시나 내 감은 또 한 번 맞아떨어졌다. 그놈의 클럽, 술, 연애… 성인이 되면 마음대로 살 줄 알았는데 아닌 것 같다. 한창 혈기왕성한 20대를 막아 세우다니, 억울할 따름이다. 그리고 애당초 난 여자친구도 없다. 뉴스에는 'A씨'라는 연예인이 음주·가무를 벌였다는 식의 내용이 제일 핫 트렌드로 떠오르고 있었는데, 보나 마나 나인 게 뻔했다. 댓글에는 내 이름과 함께 진열된 수만 가지의 욕설이 눈에 띄었다. 댓글을 하나하나 읽어보며 싫어요를 정성스레 누르고 나서야 핸드폰을 덮었다. 수많은 사람 앞에서 비춰지는 나는 인간말종 쓰레기였다. 오랫동안 연예인 생활을 해왔지만 나를 향한 비난의 손가락질은 전혀 적응이 되지 않았다.

한숨을 한번 푹 쉬고 마른세수를 몇 번 하다가, 도착한 된장국을 받으러 갔다. 겹겹이 쌓여있는 비닐을 벗기고 된장국을 그릇에 쏟아부었다. 적갈색 빛을 은은히 띄는 된장국의 표면은 왜인지 보는 것만으로도 울분이 터질 것 같았다. 눈물을 꾹 참아내며 된장국을 한 입 먹었다. 내가 바랬던 그 맛은 나지 않았다. 한 입 먹고서는 국물을 곧장 쓰레기통에 처박았다. 더 이상 숟가락을 뜨고 싶은 마음이 들지 않았다. 배가 고팠지만 모른 체했다. 된장국을 먹으면 더욱 우울해질 것 같았다. 살며시 무기력해진 몸을 이끌고 나서 거실 소파에 드러누웠다. 어릴 적 생각이 났다. 어쩌면 그때가 지금보다 더 낫지 않나 싶다. 형을 볼 수 있다는 사실 하나만으로 어릴 적의 기억은 미화되었다. 아이돌 같은 거 하고 싶지 않다. 형을 만나고 싶다. 만나서 꼭 껴안아 주고 싶다. 할 수만 있다면 어릴 적으로 돌아가고 싶었다. 형과 헤어지기 몇 분 전으로 돌아가서 마지막 작별인사라도 하고 싶었다. 언제나처럼 나는 몇 년 전 그 기억 속들을 헤엄쳤다. 이렇게라도 해야 형의 얼굴이 기억나기 때문에 비단 목소리는 기억이 잘 나지 않지만, 형의 그림자라도 부둥켜 잡으려고 노력하며 기억했다. 비로소 나는 형 덕분에 그동안 살아가고 있었다는 것을 깨달았다. 몇 년 전 그때와 같이, 난 형에게 신세만 지는 입장이었다. 어쩌면 세상 어딘가 저편에서 살아가고 있는 형은 나를 원망하고 있을지도 모르겠다. 그래, 나는 그토록 바라는 형에게도 인간말종 쓰레기 자식이었던 것이다. 날 버리고 혼자 돈 잘 벌며 살고 있는 나쁜 놈, 그것도 아주아주 나쁜 놈.

또 숨이 잘 안 쉬어지기 시작했다. 과호흡이 심하게 왔다. 가쁜 호흡으로 스마트폰을 찾으려 손을 책상 위에서 뒤적였다. 스마트폰을 움켜쥐고 떨리는 손으로 119를 불렀다. 바닥에 주저앉아 심호흡을 진정시키려 해도 호흡은 미친 듯이 떨리며 도저히 멈출 기미를 보이지 않았다. 그렇게 119를 부르고 긴장이 풀린 난 그 자리에서 바로 기절했다.

눈을 뜨자마자 먼저 보인 것은 칙칙한 색의 병원 천장이었다. 특유의 진한 약품 냄새가 코를 찔러댔다. 하지만 어째서인지 주위를 살펴보아도 그 누구도 보이지 않았다. 의자 옆에 진한 적색으로 표시되어있는 '의사 호출 버튼'을 마구잡이로 눌렀다. 뿔테 안경을 쓴 젊어 보이는 의사가 병원실 안으로 들어왔다. 그 의사는 내가 5일 동안 누워있었다는 소식을 하나씩 말해주었다. 당연히 인터넷은 나의 의식 불명에 관한 소식으로 떠들썩했다. 의사가 말하는 도중에 병원실 문을 두드리던 기자 여럿이 나에게 다짜고짜 카메라를 들이댔다. 혼란스러운 상태였었던 나는 고개를 푹 숙이고 귀를 틀어막고 있었다. 의사가 당황하며 기자들을 제지했는데도 불구하고 기자들은 멈추지 않고 나에게 질문 세례를 쏟아부었다. 결국, 간호사들이 다 와서 제지하고 나서야 기자들이 나가 병원 실은 조용해졌다. 여러 생각이 머릿속에서 뒤엉켰다. 얽힌 생각들 끝에 내가 내린 결론은 이 질문밖에는 없었다.

"언제 퇴원할 수 있나요?"

과호흡이고 나발이고 나는 일을 해야 했다. 지금으로써는 퇴원이 가장 중요한 요인이었다.
의사는 어딘가 못마땅한 표정으로 나지막하게 말을 꺼냈다.

"단순한 과호흡이 아닙니다. 3개월 정도 입원을 하셔야 할 것 같습니다. 당장 심각한 수준의 암으로도 퍼질 수 있는 종양이 호흡기관에서 발견되었어요. 이미 심하게 진행되었는데 모르셨습니까? 평소에 술, 담배 많이 하세요?"

"네."

 내 기억상 어제도 담배는 한 갑 정도 핀 것 같고, 술도 3병은 마셨으니…. 어느 정도 몸이 나빠질 수 있을 것이라는 예상은 하고 있었다. 하지만 막상 직접 들으니 조금은 충격적이었다. 의사의 그 말을 끝으로 나와 그 사이의 어떠한 대화도 오가지 않았다. 그러고 한 2분 있었나, 의사는 내려간 뿔테 안경을 올리며 한마디를 하고 천천히 병원실 밖으로 나섰다.

"겨우 스물두 살인데 건강 상태가 50대는 되어 보이네. 일찍 죽고 싶지 않으면 건강 꼭 챙기세요."

"네."

 사실 몇 년 전에는 술과 담배를 무지 싫어했다. 아버지가 카지노에 다녀온 후 집에 들어오면 늘 술 냄새를 풍겼는데, 그때부터 술을 혐오했었다. 하지만 고등학교 자퇴 후 아이돌 연습생이었을 때 만나게 된 아는 형이 술과 담배를 권하여 그때부터 피게 되었다. 내게 담배는 척박하고 칙칙한 세상에 한 줄기 빛 같은 존재였다. 숨이 턱 막힐 것 같은 상황에도 담배를 한 개비 피우면 그나마 숨통이 트일 것 같았다. 그러나 점점 내 모습이 아버지를 닮아가는 것 같아서 그게 죽도

록 싫었다. 하지만 시작한 이상 끊을 수 없었다. 이미 담배
는 내 삶의 일부분이 되었고, 일부분이 된 이상 쉽게 뗄래야
뗄 수 없는 것이 되었기 때문이다. 그렇기에 굳이 담배를 끊
으려는 생각 자체를 많이 해 본 적이 없었다. 술 또한 그렇
다. 아이돌 연습생이 되고 15살 때쯤 나는 이미 세상에 질려
버려서, 이렇다 할 즐거운 매개체가 없었다. 연습실과 집을
반복하며 미치도록 삶의 낙이 없었던 나는 유달리 또래보다
큰 키 덕분에 편의점에서 쉽게 담배나 술을 구할 수 있었다.
그때 당시 담배를 피기에는 조금 무섭기도 했어서, 술을 먼
저 구해보았다. 그리고는 아는 아이들을 불러서 같이 술을
진탕 퍼마셨다. 다음 날 일어나니 같이 술을 마신 아이들 중
한 명과 같이 침대에 나란히 누워있었다. 피임 기구도 사용
하지 않았던 것 같았다. 그때 당시의 나는 그 상황이 너무나
도 무서워서 그저 그 모텔을 빠져나왔다. 그리고 며칠 안 지
나서 전화 한 통을 받았다. 그 아이였다. 임신 테스트기에
두 줄이 떴다며 나에게 울고불고 소리쳤지만 나는 매정하게
그 아이에게 미안하다며 전화를 끊었었다. 다시 보니 정말
쓰레기였던 것 같다. 이 일을 계기로 아직까지 이성과의 관
계를 조심하는 편이 되었다. 하지만 술을 먹으면 잠시나마
이 더러운 기분을 잊을 수 있어서 좋았기 때문에 아직까지도
술은 매일 마시곤 한다….

병원실 가장자리에 있는 낡은 침대 위의 이불을 어지럽게 풀어헤쳤다. 당장 손목에 깊게 박힌 링거를 빼 버리고 싶었다. 나는 몸을 편하게 하고 누웠다. 그 순간의 병원 실에서는 내 심장 소리만이 작게 들렸다. 쥐고 있던 핸드폰을 잠깐 만지작거린다 할 것도 없어서 그냥 SNS를 둘러보려고 마음먹었다. …아니다, 안 보는 게 좋을 것 같다. 애초에 들어가봤자 나에 대한 수십여개의 욕이 나열되어 있을 테니 SNS를 들어가자마자 내가 느낄 기분은 뻔했다.

나는 한참 SNS는 들어가 보지도 못하고 핸드폰 배경화면만 들락날락거렸다. 그러다 그냥 핸드폰 전원을 끄고 검정 화면만 바라보았다. 그 화면에 비친 나는 초라했다. 무대에서의 메이크업도 받지 않고 화려한 의상도 입지 않은 나는 한없이 초라했다. 그 차이에서 느껴지는 괴리감이 너무나 컸기에 나는 핸드폰을 작은 탁상 위에 놓고 보지 않았다.

담배를 한 갑만 피고 싶었다. 며칠 안 폈더니 금단 현상이 와서 미칠 지경이었다. 나는 가방에 챙겨온 담배를 하나 꺼내 주머니에 넣고 산책하러 가는 척하며 병실을 나섰다. 다행히 병원 구석에는 아무도 없는 산책로가 있었다. 날씨가 선선했지만, 아무것도 입지 않고 나온 탓에 조금 추웠다. 나는 챙겨온 담배와 라이터를 손에 쥐고 즉시 담배에 불을 붙였다. 살 맛이 났다. 한숨을 쉬며 몇 분 동안 담배를 피다가 인기척 소리에 그냥 발로 짓눌렀다. 잠시나마 행복했기에 나는 만족스럽게 병실로 들어갔다. 그러나 담배를 핀 시간이 자그마치 5분이 채 안 됐었기 때문에 시간을 때우기가 애매

했다. 또다시 미칠듯한 심심함이 몰려들었다. 그러다 방음이
잘 안 되는지 옆 방 간호사들의 목소리가 새어 들려왔다. 그
소리를 들으려고 노력했다.
"진짜 괜찮아?"
"응."

무슨 일인가 싶어 귀를 벽에 더 바짝 대고 집중했다. 간호사
들은 정신병동에서 실려 온 환자에 관한 대화를 하고 있었
다. 이야기가 조금 흥미진진해졌다.

"갑자기 널 덮치는 거 아니야? 정신이 이상하잖아."
"조금 무섭긴 한데 어쩌겠어."

대화가 끝나기 무섭게 간호사들은 말을 이어나갔다.

"정신병원이랑 이 병원이랑 합친다는 소문도 있어. 저 여자
가 아마 첫 번째 실험체일 수도 있어.
"진짜 그 지경 나면 퇴사해야겠다. 같이 할래?"

 가볍게 농담을 주고받는 간호사들의 소리는 벽을 넘어 크게
들려왔다. 정신병동에서 왔다는 여자와 한번 대화를 나눠보
고 싶었다. 나 또한 우울증과 대인기피증 때문에 여러 알약
을 짊어지고 다니던 시기가 있었기 때문이다. 그렇기에 그녀
에게 도움을 주고 싶었다. 하지만 담배 냄새가 몸에 배어서
싫어할 수도 있을 것 같다는 생각이 조금 들었다.
잠시 후 초면의 간호사가 나의 상태를 체크하러 방으로 들

어왔다. 나는 주저하지 않고 소문의 그 여자가 누구인지 간호사에게 물었다. 그녀의 이름은 '누온'이고 현재 앓고 있는 병은 조현병(schizophrenia)이라고 한다. 조현병은 망상, 환청, 등등의 증상이 나타나며 망상장애로 분류되는 병이라고 한다. 누온 씨가 앓고 있는 병이 다소 생소하지만, 인터넷으로 찾아본 덕에 몇 가지 정보들을 찾아볼 수 있었다. 약물치료와 재활 치료를 꾸준히 하다 보면 완치가 될 수 있다는 사실에 내심 기뻤다. 나는 누온 씨의 병원실 앞으로 가보았다.

 무작정 병실에 찾아갔다는 사실에 조금 무례한 행동인지 생각해 볼 겨를도 없이 나는 곧바로 눈앞의 문을 두드렸다. 누온 씨로 추정되는 젊은 여자가 문을 열어주었다. 그녀는 의자에 앉으라며 나에게 먼저 말을 걸었다. 내가 의자에 몸을 얹고 나서 그녀는 이야기를 꺼내기 시작했다.

"제 병원 실을 찾아오시는 분들이 많아요. 아무래도 생소하겠죠. 폐쇄 병동에서 온 미친 여자가 일반 병원에 왔다니, 조금 무서울 수도 있었겠죠?"
"아, 아니에요. 전혀 그런 의도는 없었어요. 우선제 이름은 강하예요."

그녀는 조심스레 마시던 차를 내려놓고 나의 이야기에 집중했다. 이야기를 경청해주는 그녀 덕분에 편하게 나의 인생사를 이야기할 수 있었다. 나는 숨을 한번 고르고 말했다.

"저도 어린 시절에, 어머니가 집을 나가시고 형이랑 살았어요. 그리고 가정폭력을 하는 아버지의 곁에서 자라다가 아버지까지 암으로 돌아가셨어요. 그런데 얼마 안 가 형과 떨어지게 되었어요. 기획사가 형을 빼고 절 데려간 거예요. 그리고 나서는 연예인이 됐어요. 연예인이 되고 돈을 엄청나게 벌었지만 결국 얻은 것은 우울증과 대인기피증이었어요. 참 덧없죠, 제 인생. 그래서 당신의 이야기를 들으니, 마치 제 이야기같이 마음이 약해지는 거 있죠, 도와주고 싶더라고요."

"저보다 힘드신 분들이 세상에 정말 많군요."

구슬퍼 보이는 그녀의 눈이 눈물로 반짝였다. 나는 그녀의 말이 끝나고 조금 기다리다가 살며시 물었다.

"당신은 어떤 인생을 살아오셨나요?"
"저는요, 음. 말하자면 길어요. 다 들어주실 수 있으실까요?"
"얼마든지요."

누온 씨는 자신이 살아온 삶을 하나하나 다 나열하며 말했다.

"제 집안은 사이비 종교에 빠져있었어요. 늘 어머니와 아버지는 이름 모를 신에게 모든 것을 갖다 바쳤어요. 어머니 아버지는 제게는 한없이 다정했지만 사이비 종교에 있어서는 어딘가 미친 사람처럼 안광이 서렸어요. 어린 저는 도무지 이해가 되지 않아서 무서웠어요. 주말만 되면 어머니 아버지는 스산한 분위기의 예배당으로 향했고, 어린 저는 집에 혼자 있기가 무서워 그곳을 따라갔지요. 그곳에서는 감히 입에 내놓을 수도 없는 잔인한 광경이 늘 일상처럼 연속되었어요. 그중에서 제일 기억 나는 것은 예배를 반대한 젊은 여자를 살해하고, 그녀의 머리를 예배당 한가운데에 전시해 놓은 거였어요. 저는 그 모습을 보고 충격에 빠져 기도를 안 할 수도 없었어요. 그래서 늘 기도를 드리는 동안 속으로는 제발 부모님이 정신을 차리게 해주라고 빌기도 했어요. 그러면서도 내 행동이 이상한 행동인가? 하기도 했네요,

...늘 사이비 종교에 헌신하는 부모님 밑에서 자라왔으니 그게 바른 거라고 약간의 관념이 있었던 거죠. 결국, 저는 스무 살이 되고 독립을 결심했어요. 그런 절 아버지는 험악하게 막으셨죠.

제가 독립을 하게 된다면 저를 호적에서 파겠다나 뭐라나, 엄청 피 터지게 싸웠어요. 하지만 부모님 두 분이 저를 말리는 것은 실패했어요. 그렇게 저는 부모님들과 떨어져 고시원 방 하나를 얻어 거기서 생활하기 시작했어요. 그런데 부모님과 연락이 끊긴 몇 주 뒤 뉴스를 보니 부부 하나가 동반 자살을 했대요. 놀란 마음을 추스르며 설마 하는 마음으로 뉴스의 내용을 여기저기서 뒤졌어요. 하지만, 네, 맞아요. 저희 부모님이셨어요. 어머니와 아버지는 제가 나가면 절 죽이고 서로 동반 자살을 하겠다고 할 정도로 저를 격하게 말렸어요. 그런데 정말 제가 나가니 동반 자살을 한 거예요.

알 수 없는 해방감이 온몸을 사로잡았어요. 그동안의 힘듦이 싹 사라지는 느낌이었어요. 그러다 곧장 누군가가 저에게 전화를 걸었어요. 112였어요. 조사를 위해 전 그렇게 오랜만에

예전 집으로 찾아갔어요. 경찰에게 간단한 설문을 받고 나서 천천히 집 안을 둘러보기 시작했는데, 사건 현장인 거실에는 피가 사방에 흩뿌려져 있고 노란색 테이프로 진입을 금한 표시가 있었어요. 끔찍한 혈흔 냄새를 뒤로하고 안방에 들어 갔는데, 그곳에서 하나의 쪽지를 발견했어요. 내용은⋯ '이 모든 것 또한 신의 뜻이니라.'였는데, 그 문구는 저희 부모 님이 자주 하시던 말이었어요. 부모님이 헌신하시던 신에 대 한 찬양 문구에요. 어릴 때 저도 억지로 저 말을 입에 많이 담았어요. 이 쪽지를 보자마자 제가 무슨 감정을 느꼈는지 아세요? 통쾌함이요. 아드레날린이 막 몰아쳤어요. 죽을 때 까지 부모님들이 그 이상한 신에게 그렇게 헌신했다는 게 너무 우스워서, 웃음이 막 났어요. 경찰에게 들리지 않으려고 입을 막으며 한참 동안 눈물과 웃음이 뒤섞인 기괴한 표정 을 지었지요. 그때부터 였나봐요, 환각이 보였어요. 어머니 아버지 환각. 밤마다 그분들의 웃음소리 환청도 들려왔어요. 방구석에서 희미하게 보이는 모습에서, 저로 인해 싸우는 중 이던 부모님 두 분 중 아버지가 어머니를 칼로 찌르고 본 인도 곧이어 목을 매달고 자살하는 장면을 봤어요. 그런데, 아버지는 죽을 때까지 사이비에 모든 것을 갖다 바친 게 맞 았어요. 똑똑히 말하더라고요. 이 모든 게 다 신의 뜻이래요. 그 쪽지에 쓰여 있던 것과 데칼코마니로요."

"⋯웃기죠? 저도 믿기지가 않네요, 제 인생사가."

 한창 말을 다 끝마친 그녀의 양쪽 볼에는 눈물이 쉴 새 없이 흐르고 있었다. 나는 아무 말도 할 수 없이 그저 멍하니 그녀를 바라보고만 있었다. 그녀는 곧게 편 손바닥에 얼굴을 파묻고 잠깐 있더니 손을 다시 가지런하게 모으고 말했다.

"너무 제 이야기만 했죠, 죄송해요. 갑작스레 그때의 감정이
막 피어나버려서…"

"괜찮아요. 힘드셨겠어요. 정말 다이나믹한 인생을 살아오셨
네요. 이제라도 약 복용하고 치료하면 완치된다면서요. 사람
들이 퍼뜨리는 소문 다 무시하고 기세등등하게 퇴원하셔야
죠."
"…"

다른 곳에 시선을 두고 있는 그녀의 손이 미세하게 떨렸다.

"완치 못 해요."
"네?"

"못 한다고요, 더이상."
알고 보니 그녀가 조현병을 처음 앓기 시작했던 시기는 10
년 전이었고, 회복할 시기가 지났기에 더이상 완치는 사실상
불가능했다.
"아무래도 포기해야겠죠, 저…"
"제가 도와드릴게요."
"네?"
"완치할 수 있게 도와드리면 되잖아요."
"하지만,"

조금 인상을 찌푸린 그녀는 입술을 살짝 깨물었다.

"제 곁에 있으면 피곤해지실걸요. 더군다나 저는 당신이 언제 퇴원하실지도 모르는걸요."

"아니에요. 지금은 아주 편안하고,"
"지금은 약을 복용한 상태잖아요. 동정하지 말아 주세요. 약을 복용하지 않으면 저는 계속해서 환각이나 환청을 보게 돼요. 옆에 있는 사람만 괜히 피곤해진다니까요."
"…"
"그래도 도와드릴 수는 없는 건가요. 정말 도와드리고 싶어서 그래요. 힘든 사람끼리 모이면 오히려 그 힘듦을 이겨 낼 수도 있죠."

머리를 한번 쓸어넘기고 나서 결정한 듯 손을 모으고 그녀는 말했다.

"그래요, 그럼. 편하게 누온 씨라고 부르실래요?"
"네. 강하 씨라고 불러주세요."

나는 누온 씨를 도와주기로 결심했다.

*

누온 씨를 도와주겠다고 마음먹은 후 바로 다음 날에 나는 누온 씨와 병실을 합쳐달라고 부탁했다. 적어도 누군가가 곁에 있으면 마음이 괜찮아질 것 같아서 그랬다. 하지만 결국 좋은 선택은 아니었던 것 같다.

처음 방을 합치고 나서였다. 1인실이었던 전 병실과는 달리 생활하는 공간에 사람이 생기니 왠지 모르게 조금은 불편했다. 하지만 이미 벌인 일 어쩔 수 없다는 마음으로 너그럽게 이해했다. 누온 씨는 낮시간에는 정말 친절하고 한없이 따스한 사람이었다. 하지만 병의 증세가 밤이 될수록 심해지는지 해가 저물기만 하면 완전히 다른 사람이 되어버린다.

누온 씨가 전에 말한 이야기가 다 틀린 말은 아닐 수도 있을 것 같았다. 솔직히 말하자면 조금 많이 피곤했다. 시도 때도 없이 나를 자신의 강아지라고 생각하지를 않나, 또 어떤 날은 허공을 응시하며 그녀의 부모님 이름 석 자로 추정되는 말들을 난무하지를 않나. 처음 누온 씨의 증세를 보았을 때는 정말이지 소름 끼쳐 미치는 줄 알았다.

조현병은 내가 생각했던 것보다 더욱 주변 사람들에게도 본인에게도 심리적 불안감을 안겨주는 것 같다. 그렇기에 누온 씨를 어떻게든 정신적으로 치료해 드릴 수만 있다면 해드리고 싶었다. 트라우마에 얽매여 10년 동안 매일 부모님의 환각과 환청을 보고 또 듣고 있다는 것이 너무나 가여웠다.

깊은 밤이 지나고 나서 아침이 왔을 때 누온 씨는 매일 두통에 괴로워했다. 어젯밤 자신의 행동을 떠올리며 고통스러운 감정을 느끼는 것 같이 보였다. 그럴 때마다 나는 누온 씨를 위로해주었지만, 그녀는 식은땀을 온몸으로 흘리며 죄송하다고 수차례 중얼거리더니 싱크대에 아침밥을 모조리 뱉어냈다. 그녀의 등을 토닥여주던 나는 슬며시 자리를 피했다. 비위가 약하기 때문에 남이 토하는 것을 지켜보기만 해도 헛구역질이 올라왔다.

누온 씨와 같은 병실을 쓰는 게 단점도 많았긴 했지만 그만큼 장점도 많았다. 누온 씨는 보통의 사람들보다 더욱 내게 친절하고 있는 그대로 잘 대해주었다. 장난스러운 대화도 서로 간 잘 오갔고, 무엇보다도 누온 씨가 깔끔한 성격이라 방이 정말 깨끗했다. 따라서 우리는 서로 부딪힐 일 없이 순탄하게 지냈다. 허나 다음 날 아침 상황은 180도 바뀌었다.

내가 위 문장의 끝에 '다음 날'이라고 뜻한 날은, 비로소 내가 퇴원을 하게 된 날이었다. 약 석 달간의 긴 병원 생활을 마치고 다시금 일상으로 돌아올 생각에 설레했던 날이었다. 누온 씨는 어쩐지 기분이 좋지 않아 보였다. 나는 말을 주저하는 누온 씨에게 먼저 대화를 청했다.

"이제 퇴원이네요. 그동안 정말 즐거웠어요. 생각이 잘 맞는 사람과 같이 생활한다는 소중한 경험을 잘 해 본 것 같아요."
"…"

"누온 씨, 퇴원하더라도 병원에 찾아와서 누온 씨를 반겨 줄 수 있잖아요. 너무 걱정하지 마세요. 늘 당신을 위한 꽃다발을 사 들고 올게요."

누온 씨의 눈시울이 무척 붉어졌다. 그녀는 갑작스레 나의 팔을 확 낚아챘다.

"이러고 가면 어떡해요."
"네?"
"제 전부가 되고 가 버리시면 어떡해요?"

그건 사랑에 빠진 사람이 할 만한 말이었다. 갑작스레 분위기는 차게 식어버렸다.

"이제 저에게는 당신밖에 없는데, 어찌 간다는 말씀이세요."
"다 나았으니 가야죠. 어쩔 수 없어요, 누온 씨. 누온 씨도 힘내서 퇴원해야죠."
"전 당신을 죽을 듯이 사랑했는데, 당신은 아니었나요? 제가 불쌍하지 않으신가요? 제가 완치될 때까지 옆에 있어 준다고 했잖아요. 그건 저와 영원을 약속한 거 아니었나요?"

머리를 한 대 세게 맞은 듯 뒤통수가 얼얼했다. 그녀가 나를 사랑하고 있었다는 것이 믿기지 않았다. 친구가 없어져 버린 것만 같았다.

"우리 친구잖아요."

"친구요? 이게 친구예요? 그럼 저에게 히비스커스 꽃다발은
왜 사다 주셨나요? 왜 저에게 잘 해주셨나요?"
"이러지 마세요, 그저 친구라서 잘해준 것뿐이에요."
"히비스커스의 꽃말이 '섬세한 사랑의 아름다움'이래요. 그때
저에게 고백하신 것 맞잖아요."
"그만 하세요, 누온 씨!"

　퇴원을 앞두고 설레이던 감정이 점차 혼란스럽게 변해가고
있었다. 누온 씨는 고개를 숙이고 한참 동안 바닥을 바라보
다가 휙 고개를 돌려 나와 눈동자를 맞추었다.

"그럼, 그럼 이제부터 사랑하는 거 어때요, 저희? 네? 대답
해보세요, 강하 씨."
"누온 씨, 아까 말했다시피 전 당신과 친구로 남고 싶어요."
"자살할까요?"
"...네?"
"지금 여기서 자살한다면 저랑 사귀어 주실 건가요?"

　그녀는 떨리는 목소리로 하던 말을 이어가며 커터칼을 손목
에 긋고 있었다. 붉은색의 혈액이 그녀의 안쪽 팔을 타고 내
려왔다. 그녀는 실성해 웃으며 더욱 세게 커터칼로 살을 파
고들었다. 도저히 그 모습을 볼 수 없었던 나는 화장실로 달
려가 변기 시트를 부여잡고 토를 해댔다.

"이제 결정하셨나요? 아니면 이번에는 목에 그을까요?"
"제발 그만 하세요, 제발, 그만 좀 하세요!"

"왜요, 제가 자살하는 꼴 보고 싶어요? 강하 씨 저 사랑하잖아요."

 무릎을 꿇고 고개를 숙이고 있던 나의 턱을 확 잡고 누온 씨는 강제로 나에게 입을 맞췄다. 그녀는 내가 움직일 수 없게 나의 목을 두 팔로 힘겹게 졸랐다. 나의 목을 조른 그녀의 두 손이 바들바들 떨리는 것이 느껴졌다. 숨이 막혀 죽을 것 같았지만 그녀는 날 죽이려 들진 않았다. 목을 조르는 것과 푸는 것을 반복하며 나를 고통스럽게 하는 것이 목적이었다. 그녀의 초점 없는 눈에 비로소 생기가 돌았고, 입꼬리가 하늘을 향해 치솟았다. 장담컨대 그 입맞춤은 내 인생에서 가장 역겨웠다. 힘이 어찌나 센지 몸이 잘 움직여지지도 않았다. 마치 가위에 눌린 듯한 느낌이었다. 한참 동안 혀를 섞다 숨을 쉬려 입을 떼자 그녀가 말했다.

"표정 풀어요."

그렇게 누온 씨와 나는 화장실에서 몇 시간 째 역겨운 입맞춤을 이어갔다.

그날 화장실에서 있었던 일 이후로 나는 병원에서 도망치듯이 퇴원했다. 중단했던 연예계 활동을 다시 시작하고 나서 그녀의 집착은 날이 갈수록 심해졌다. 어제 그녀는 내 집으로 택배 하나를 보냈다. 그 택배 상자를 열어보니 조화가 되지 않는 색들의 히비스커스 꽃들이 가득 안을 채우고 있었다. 그 꽃들의 사이로 손을 비집고 넣어보니 편지 하나와 비디오테이프가 들어 있었다. 나는 역겨운 냄새가 나는 편지지를 열고 읽어보았다. 내용은 이렇다.

to·강하 씨에게
강하 씨, 제가 보낸 선물은 잘 받으셨나요? 마침 지금 시간이 강하 씨가 집에 도착할 시간이네요. 그럼 제가 보낸 선물과 즐거운 시간 보내시길. 사랑해요, 강하 씨. 사랑해요. 사랑해요. 사랑해요. 강하 씨도 그렇죠? 답장 주세요. 읽어주셔서 감사해요.
　　　　　　　　-강하 씨를 무척이나 좋아하는 누온 보냄

알 수 없는 쎄함과 동시에 불안감이 엄습해 왔다. 나는 편지지를 대충 흘겨보고 비디오테이프를 컴퓨터로 전송시켜서 재생시켜 보았다. 영상을 재생하니 검은 바탕화면이 제일 먼저 보이다가, 갑작스레 화면을 가득 채운 그녀의 얼굴이 나타났다. 그리고는 그녀는 화면을 휙 왼쪽으로 돌렸다. 그 화면 속에는 방에서 자고 있는 내가 보였다. 미친년, 우리 집에 들어와서 내가 자고 있는 걸 녹화한 것 같다. 동영상 속에서 그녀는 자고 있는 나에게 살그머니 다가가더니 볼에 입을 맞추었다. 그리고 영상은 끝났다. 나는 미친 듯이 소름이 끼쳤다. 혹시 그녀가 지금 내 모습을 옷장이나 서랍 안에서 보고 있을 것 같다는 생각에 그날 밤 잠을 제대로 자지도 못했다. 그렇게 뜬눈으로 밤을 지새웠다.

또, 당장 오늘 있었던 일이다. 콘서트가 끝나고 무대 바로 뒤에서 그녀가 나에게 발포 비타민을 몇 종류 가져다주었다. 마침 힘들었던 참이라 이마의 땀방울들을 닦으며 아무렇지 않게 비타민을 물에 타 먹었다. 혹시나 했지만 역시나였다. 그 발포 비타민은 평범한 비타민이 아니었다. 발포 비타민이 녹고 부글거리는 물에서 올라오는 상상도 못 할 역겨운 냄새가 나의 코를 찔렀다. 결국, 마신 물을 다 화장실 변기에 토해냈다. 가뜩이나 울렁거렸던 속이 더욱 고통스러워졌다. 계속해서 입에서 기침이 나왔다. 내가 먹은 발포 비타민이 무엇이며, 그것이 나에게 어떠한 영향을 끼칠지 두려웠다. 그녀는 나를 가질 수만 있다면 무엇이든지 하는 경향이 강하다. 그러므로 나는 이것이 마약일 수도 있겠다고 생각했다. 핸드폰을 켜고 누온 씨에게 곧바로 전화를 걸었다. 통화 수신음이 생각보다 길어졌지만, 그녀는 곧장 나의 전화를 받았다. 내가 전화를 걸자마자 제일 먼저 한 말은 이것이다.

"그 발포 비타민, 마약이에요?"

"아니예요."
"그럼 뭔데요. 당장 말하세요. 도대체 무슨 짓을 하신 겁니까?"
"그저 입욕제일 뿐이에요."
"입욕제요?"

순간 가슴이 철렁하며 식은땀이 확 났다. 온몸에 소름이 끼쳤다. 나의 신경들은 온통 그녀가 미친 게 분명하다고 가리키고 있었다. 그녀는 대수롭지 않게 몽롱한 톤으로 말했다.

"제가 목욕했던 물에 들어갔던 입욕제에요. 다 녹아버릴까봐 소량만 남겨뒀어요. 맛이 어떤가요?"
"이런 미친, 왜 그러는 거예요? 제발 그만두세요, 제발….."
"맛이 어떠셨어요?"

여기서 대답을 뭐라 해야 할지에 앞으로 내 생활이 달려있었다. 만약 그녀에게 역겨운 맛이 났다고 이실직고하면 그녀가 나의 입에 입욕제를 숨이 막힐 때까지 쑤셔 넣을지도 몰랐다. 하지만 도통 나에게는 어떠한 방법도 생각나지 않았다. 결국, 나는 잠깐 주저하다 얼굴을 손으로 쓸어내리며 말했다.

"...맛있었어요."
"그죠? 맛있었죠? 그럴 줄 알고 있었어요. 강하 씨."

그녀는 만족스럽다는 듯이 한참을 전화기 너머로 웃어댔다. 입을 막고 헛구역질을 수차례하고 나서야 속이 가라앉았다.

온몸에 식은땀이 마구 돋았다.

"강하 씨, 무슨 말 좀 해봐요."

"네."
"오늘 저녁 같이 먹으실래요?"
"오늘 바쁜데요."
"시간을 내주세요, 사랑하는 이에게."
"누온 씨, 다시 한번 말하지만 저는 당신을 사랑하지 않아
요."
"제가 죽는 걸 원해서 그런 말을 하시는 건가요?"
"아뇨, 그저 저에게 집착을 멈춰주시면 안 될까요?"
"집착이요?"
"지금 집착하시고 계시잖아요. 그만 좀 하세요."
"강하 씨에게는 이게 집착이군요."
"경찰 부를까요?"
"제가 죽으면 강하 씨가 용의자로 지목될 거예요. 강하 씨
앞에서 자살 할 거니까요."
"다 녹음하고 있습니다, 그만 좀 하세요."
"녹음은 불법 아닌가요? 어쨌든 강하 씨, 오늘 저녁에 제 병
실로 와주셔야 해요. 강하 씨를 위해 이벤트를 준비했어요."
"안 가면요."
"안 가면요? 어떻게 될까요? 강하 씨가 생각하시는 것보다
잔인할 거예요. 꼭 와주세요. 꼭이요."

  그 여자의 마지막 말을 끝으로 나는 전화를 끊었다. 핸드폰

을 바닥 구석으로 던져서 처박았다. 액정이 토막 나서 부서지는 소리가 들려왔다. 별 상관은 없었다. 핸드폰을 보고 싶은 생각도 들지 않았다.

머지않아 저녁 시간이 다가왔다. 매니저가 운전하는 카니발을 타고 집으로 가고 있었다. 애초부터 그녀가 있는 병실을 갈 생각은 없었다. 뒷 일은 생각하지 않은 채 그저 멍하게 허공을 쳐다보며 매니저에게 물었다.

"몇 시쯤에 도착해요?"
"얼마 안 걸려요. 다 왔어요."

숙소에 다 오자 변함없이 익숙한 풍경이 눈에 띄었다. 지친 몸을 이끌고 계단을 오르며 반쯤 고물이 된 핸드폰을 들여다보았다. 산산조각이 되어버린 핸드폰은 더이상 켜지지도 않았다. 그러다 깨진 액정 조각에 손을 몇 군데 베였다. 베여서 벌어진 살의 틈 사이로 울긋불긋한 피가 살며시 보였다. 숙소의 문 앞에 도착한 나는 곧장 문을 열었다. 문을 열자 제일 먼저 보이는 것은 그 미친 여자였다.

"왜 여기 있어요?"
"여기로 올 걸 알고 있었어요."
"저번부터 제집 비밀번호는 어떻게 아 셨냐고요,"
"지문이 잘 보이더라고요."
"당장 나가세요."
"왜요? 전 당신의 여자친구예요."

"당장 경찰에 신고할게요."
나는 떨리는 손으로 핸드폰을 들었다. 하지만 핸드폰은 산산조각이 나 쓸 수 없는 상태였다. 호흡이 가빠져 왔다.

"핸드폰이 부서져 있으시네요. 신고는 못 하실 것 같은데요. 이제 어떻게 하시겠어요?"

실실 웃는 그녀를 뒤로하고 나는 주방으로 가 칼을 꺼내 들었다. 손이 마구 떨렸다.

"가까이 오지 마세요."
"강하 씨, 그 칼로 저를 찔러주세요."
"미친년,"
"강하 씨가 저를 죽이면 죽어서도 행복할 것 같아요."
"마구 찔러주세요. 토막 내주세요. 제 시체를 먹어도 좋아요."

나는 강하게 쥐고 있던 칼을 떨어뜨렸다. 손과 다리에 힘이 풀렸다. 차라리 그녀를 죽이는 게 나을 것 같다는 생각이 잠시 들었다.

"무서워요? 무서우면 제가 대신 눈앞에서 죽어드릴까요?"

공황장애가 올 것 같았다. 속이 울렁거리고 식은땀이 났다. 나는 주저앉아서 기절했다.

"강하 씨?"

마지막으로 들은 목소리는 그 여자의 그 말뿐이었다.

*

　나는 깨어났다, 하지만 온몸이 묶인 상태로. 분명 나의 집
이었다. 고개를 힘겹게 돌려 창문을 바라보았다. 내가 잘못
본 건지 창문 밖 세상은 3년 전 출시된 그래픽 게임의 초기
시작 화면이었다. 내 입은 청테이프로 막혀 있었다. 누군가가
있길 바라며 최대한 몸을 바둥거렸다. 그러자 한 게임 캐릭
터가 나에게 다가오기 시작했다. 그 캐릭터는 아까 말한 그
래픽 게임 주인공의 여자친구였다. 캐릭터가 내 입에 단단히
붙여져 있는 청테이프를 능숙하게 떼 주었다. 그리고 나서는
나에게 말을 걸었다.

"잘 왔어요."
"이곳은 어디인가요?"
"게임 속이에요. 이제부터 당신은 게임의 주인공이 된 거예
요."
"제가 주인공인가요?"
"이곳에서는 당신이 주인공이에요."

나는 단 한 번도 내 삶의 주인공이 되어 본 적이 없었다. 여기서는 내가 주인공이기 때문에 무엇이든지 할 수 있었다. 나는 만족감을 느끼며 캐릭터에게 말을 더 걸어보았다.

"제가 예전 기억이 잘 안 나서 그런데, 무슨 일이 있었나요?"
"당신은 원래부터 게임 캐릭터였어요."
"그런데 이것 좀 풀어주실 수 있나요?"
"아뇨."
"제가 게임 캐릭터라고 하지 않았나요?"
"네. 그렇죠."
"그런데 저를 속박하고 있는 것이 있다면 저는 게임을 할 수가 없을 텐 데요."
"그럼 따라오시죠."

그 게임 캐릭터는 나의 몸을 구속한 것들을 떼어 내주고 나를 어떠한 픽셀 집의 문 앞으로 데려갔다. 그리고 나서는 나를 그 집 안으로 휙 던져놓았다. 그 다음에 이렇게 말했다.

"행운을 빌어요, 용사님."

곧장 집의 문은 굳게 닫혔다. 나는 두리번거리며 집 내부를 살폈다. 집의 바닥에는 싱그러운 그래픽 잔디가 피어나고 있었고, 하늘은 무척이나 넓고 쾌적했다. 집인데 왜 하늘이 보이지? 별 상관은 없었다. 나는 바람에 따라 움직이는 잔디를 사뿐히 밟아 그 위에 눕고 나서 잠을 청했다.

머리가 깨질 듯이 아팠다. 온몸에 힘이 풀렸다. 나는 머리를 손으로 에워싸면서 몸을 일으켰다. 눈앞에 보이는 것은 아무런 인테리어도 되어 있지 않은 듯한 빈방이었다. 방안은 캄캄해서 당장 나의 손조차 볼 수 없었다. 벽에 하나 나 있는 창문으로 새어 나온 빛이 내게 지금이 밤이라는 것을 알려주었다. 나는 당장 앞에 보이는 문을 미친 듯이 두드리며 소리쳤다.

"살려주세요, 여기 사람 있어요!"

대답은 한참 동안 들리지 않았다. 그러다 기억을 차츰 더듬어보았다. 그제서야 몇 시간 전의 기억들이 머릿속을 스치기 시작했다. 분명 그건 꿈이었다. 하지만 그렇다 해도 이상한 점이 한둘이 아니었다. 어떻게 현실에서 게임의 형상을 보았을까? 아마 그때가 콘서트가 끝난 후쯤이었을 것이다.

아, 나는 한숨을 내쉬고 결론을 내렸다. 그 미친 여자가 끝끝내, 나를 납치했나 보구나. 기절해버린 나에게 마약을 먹였구나. 예상보다 결론을 내기는 쉬웠다. 하지만 문제는 이제 어떻게 탈출하느냐였다. 마약을 다량 섭취한 후 다시 섭취하지 않으면 후유증으로 말도 못 할 정도로 극심한 고통이 찾아온다. 그 상태에서 성인 여자 한 명을 제압하는 것은 아무래도 쉽지 않을 수 있다. 나는 어렸을 적부터 유달리 또래 남자아이들보다 연약했다. 극심한 불안과 공포에 시달린 여리고 여렸던 나는 그 이유로 따돌림까지 당했다. 그렇기에 누군가와 갈등이 생겼다면 늘 말로 해결하는 것이 습관적이었다. 그 미친 여자만 제외하고. 그 여자는 늘 말이 모조리 통하지 않아서 모든 상황을 말로 해결하는 나에게는 막연했다. 하지만 계속해서 이러한 상황을 기피하기에는 눈앞이 실전이었다. 곧 나는 용기를 내서 떨리는 다리를 세워 그녀를 불렀다.

"누온 씨! 기억났어요."

곧 그녀는 희소식을 들은 듯 환희에 찬 목소리로 대답했다.

"강하 씨? 일어나셨어요?"
"네. 저 좀 방에서 꺼내주실래요?"

만일을 대비해 챙긴 조그마한 칼 하나가 이렇게 도움이 될지 몰랐다. 나는 아예 그녀를 죽일 계획이었다. 그녀는 굳게 닫혀있던 방문을 곧바로 열어주었다.

"어젯밤에 강하 씨가 뭐라고 하셨는지 알아요? 너무 웃기네, 강하 씨는 본인이 게임 속의 용사라고 믿고 계셨어요."
"왜냐하면, 제가 강하 씨에게 마약을 먹였거든요. 강하 씨, 지금 기분이 어때요?"
"네, 누온 씨."

잠시 침묵이 흐르고 나는 말을 꺼냈다. 그녀는 자신의 말을 무시한 게 가소롭다는 듯이 나를 보고 살짝 웃었다.

"저, 방에서 생각해봤어요."
"네? 무엇을요?"
"아무래도 저도 누온 씨가 좋아진 것 같아요."
"...강하 씨,"
누온 씨는 고개를 푹 숙이더니 몸을 떨기 시작했다.

"왜 그러세요?"
"가, 큽, 강하 씨, 거짓말 너무 못하는 거 아니예요?"
"거짓말 아니에요."

그녀는 이미 나의 수를 다 읽고 있었다.

"누온 씨, 누온 씨가 좋다니까요? 누온 씨 저 좋아하시잖아요. 저랑 사귀고 싶지 않으세요?"
"강하 씨… 제가 진심으로 당신을 좋아한 것 같아요?"
"네?"

곧 그녀의 입에서는 믿지 못할 말들이 쏟아져 나왔다.

"강하 씨가 처음 제 병실에 오신 날, 전 당신을 이미 알고 있었어요."
"..네?"
"제 어머니의 아들이라면서요."

"그게 무슨,"

"강하 씨 입으로 말했잖아요. 본인 어머니가 강하 씨를 그 거지 같은 집에 두고 도망쳤다고."

"제 어머니가 예전에 말씀해 주셨어요. 본인에게 아들이 있 었다고. 그 사람 이름이 강하고, 그의 형 이름이 제하라고. 그때부터 저는 이름이 강하, 제하인 사람을 찾고 다녔어요. 왜냐면요, 죽이고 싶었거든요. 왜 이딴 여자가 나를 낳았는지 누군가에게 묻고 싶었어요. 그런데 그때 알겠더라고요. 당신 들이 있어서 도망친 거예요. 그 여자가 당신들이 없었다면 그 집에 있었을 거래요. 아들 둘이 힘들어하는 모습이 보기 싫었대요."

"그딴 되도 않는 말 할 거면 입 닥쳐요."

"아뇨, 강하 씨, 들어봐요. 그래서요, 제가 자발적으로 저희 부모님을 죽였어요. 저번에 말한 것들은 다 거짓말이에요. 그 리고 나서 당신들을 수년간 미친 듯이 찾았어요. 그랬다가 찾은게 당신 형이에요. 강하 씨가 형을 배신하고 아이돌을 했잖아요, 그게 기회였어요. 혼자 남은 당신의 형은 삶의 의 욕을 모두 잃었더라고요. 그때 딱 제가 나타난 거예요. 제하 씨에게는 제가 구원자였어요. 얼마나 선한 사람인 줄 아시겠 어요, 제가? 한 치 앞도 보이지 않던 제하 씨의 시간을 다시 금 돌려주었다고요. 저는 그렇게 제하 씨와 몇 연간 사귀다 가, 함께 바다에 놀러 갔을 때 아무도 없는 펜션에서 당신 형을 죽였어요. 쾌감 죽이더라고요. 칼로 찔렀을 때 그 붉은 피가 사방으로 튀기는 게, 너무 좋더라고요."

나는 그 자리에서 아무 말 없이 주저앉았다. 극심한 상실감이 머릿속을 뒤덮었다. 그제야 퍼즐이 맞춰지기 시작했다.

"이제 남은 건 강하 씨였죠. 강하 씨는 유명하잖아요. 그래서 잘 찾을 수 있었어요. 사실 제게 조현병 같은 건 애초에 없었어요. 오직 강하 씨가 입원해있는 병원에 가기 위해서 연기한 거예요. 그런데 병원에 입원 하자마자 강하 씨가 제 발로 저에게 걸려들어 주셨지 뭐예요. 모든 게 뜻대로 되었죠. 그리고 전 이제 오랫동안 꿈꿔왔던 염원을 이루려고 해요, 잠시지만 제게 즐거움을 주셔서 감사했어요. 그리고 저의 염원을 이루어주셔서 감사해요. 비록 연기였지만 그래도 당신은 사랑할 만한 가치가 있는 사람이었네요."

그녀는 그 말을 끝으로 주방으로 향하기 시작했다. 나는 마지막 남은 기회를 놓치지 않고 당장이라도 주저앉을 것 같은 신체를 이끌고 온몸으로 달려가 그녀의 허리를 찔렀다. 그러자 그녀의 입에서는 작은 신음소리가 났고, 피 같은 것이 옷을 뚫고 분출해 바닥을 향해 계속해서 떨어졌다. 호흡이 불안정하게 떨리고 심장이 터질 것만 같았다. 칼을 쥔 손은 그만 칼을 놓쳐버릴 정도로 힘이 들어가지 않았다. 그녀는 허리를 부여잡으며 말했다.

"강하 씨, 오늘을 무척이나 후회하게 될 거예요, 제, 제가 죽으면, 강하 씨 당신이 어떻게 될지, 생각해보셨어요? 그, 그래도 강하 씨, 죽을 용기가 없던 저를 죽여주셔서 감사해요, 마지막까지 친절하시군요."

마침내 그녀는 그 자리에서 쓰러져 죽었다. 쓰러진 뒤의 그녀는 마치 살아 있는 사람처럼 공허한 눈을 하고 있었다. 근육에 힘이 풀려 기괴한 자세를 하고 있는 그녀를 한참 동안 바라보았다. 이 여자가 내 인생을 망쳐놓았다. 나의 형 인생도 망쳐놓았다. 그동안 나는 나의 인생이 절망적이라고 생각했었다. 하지만 이제는 다르다. 그녀 덕분에 내 인생의 마지막 막이 비로소 완성되었다. 나는 울분을 터뜨리며 그녀를 칼로 마구 동강 냈다. 손에 살점이 엉겨 붙고 끈적한 체액이 묻었다. 그렇게 그녀의 앞에서 목 놓아 오랜 시간을 통곡했다.

"나한테 왜 그랬어, 대체 왜, 씨발련아, 너 때문에 내 형이 뒤졌어. 이 개새끼야,"

나는 계속해서 그녀의 토막 난 시체를 붙들고 마구 흔들며 쌍욕을 퍼부었다. 그러나 돌아오는 대답은 없었다. 피투성이가 되고 살점이 마구 들러붙은 손이 눈에 띄었다. 나는 곧장 화장실로 가서 피비린내 나는 붉어진 손과 얼굴을 비누와 함께 벅벅 씻었다. 여러 가지 생각들이 얽혔지만 눈에서는 눈물이 나지 않았다. 피가 나던 목에서는 더이상 목소리가 잘 나오지 않았다. 마침내 나는 깨달았다. 이 여자 덕분에 나의 인생은 비로소 완전히 망가져 버렸구나. 대체 왜, 대체 왜 그랬어, 대체 왜.
곧장 나는 밧줄을 챙기려 다락방으로 향했다. 그저 여기서 인생을 마무리하려고. 살아 봤자였다. 살아봤자, 살아봤자 내 삶은 이미 끝난 거였다. 모든 것을 잃은 기분은 말로 형용할 수 없었다. 눈물로 범벅이 되어 피와 함께 엉겨 붙은 볼이 금세 마르고 있었다. 밧줄을 목에 붙잡고 다니니 그동안의 여러 가지 일들이 주마등처럼 스쳐 지나갔다. 그러자 그녀가 나에게 몇 달 전 말한 이야기가 생각났다. 곧장 나는 나를 속박하고 있던 밧줄을 천천히 풀고 그녀의 형체가 보이지도 않는 살점 덩어리 앞에 섰다. 그러다 나는 숨을 한번 크게 고르고 그녀에게 작별인사를 고했다.

"고마워요. 덕분에 토막 난 시체를 먹을 수도 있을 것 같아요. 누온 씨가 말했죠? 마구 토막 내 달라고, 시체를 먹어도 좋다고."

그렇게 나는 그녀를 나의 몸에 영원히 담았다.

*

내가 잠적을 시작한 지 이틀째 되는 날이었다. 뉴스에서는 심심치 않게 나의 이름을 살펴볼 수 있었다. 살인을 한 사실은 공개적으로 들통나지 않았지만 여러 커뮤니티나 SNS에서는 나에 대한 온갖 추측들이 난무하고 있었다. 사실 살인을 하고 난 후 뒷수습은 쉬웠다. 마약의 후유증이 심하게 도지긴 했지만, 소량을 먹인 탓인지 금방 극복할 수 있었다. 시체가 없으니 증거는 사라져 버렸고, 말끔하게 핏자국을 걸레질했기 때문에 역겨운 냄새 따위는 잘나지 않았다. 바로 자살할까 하는 생각이 들긴 했지만, 목에 밧줄을 둘러 매달고 버티기에는 내 체력에 한계가 와서 그만두었다. 그때 누온 씨가 마지막으로 내게 한 말이 떠올랐다. 죽는 게 무서웠던 자신을 죽여줘서 고맙다는 형식의 말이었다.

사실 나 또한 사는 것보다 죽는 게 낫다는 생각을 하고 있었지만 정작 죽기에는 무서워서 자살 시도만 해 보고 그 후로는 시도도 안 해 본 적이 있었기에 누온 씨의 그 말이 더욱 또렷이 기억나는 것 같았다.

처음이자 마지막으로 자살 시도를 할 때였다. 아이돌이 된 지 얼마 안 된 어렸던 15살의 나는 사는 게 죽기보다 싫기에 숙소 옥상에 올라가서 자유에 몸을 던지려 준비 중이었다. 겁을 잘 느끼고 고소공포증도 있었던 나는 울면서 전방으로 고래고래 소리를 지르며 세상에 한탄했다. 왜 나는 죽을 때도 두려움에 떨며 죽어야 하는가, 이런 세상에 대체 왜 날 두고 엄마는 떠났는가, 형을 너무너무 보고 싶었다. 그 무렵이 새벽 3시였나, 모두가 각자의 쉼을 취하고 있을 때 나는 또 하나의 별이 되기를 원했다. 늦은 시간이라 근처 상가나 점포에는 모두 불이 꺼져 있었고 오직 나 혼자 불 켜진 숙소의 옥상에서 소리쳤었다. 하지만 듣는 사람은 콘크리트로 이루어진 옥상 사이에 작게 핀 푸른 꽃송이 하나였다. 그 꽃송이의 꽃내음을 맡으며 문득 이런 생각이 들었다. 이 꽃은 거칠고 투박한 콘크리트 사이에서 자라 난 희망 한 송이구나. 세계의 종말 속에서도 희망은 피어나는구나. 하지만 그렇다고 그 푸른 꽃을 꺾어버린다면 그 꽃은 더이상 희망의 꽃이 아닌 그저 흔하디흔한 꽃 한 송이가 되어버릴지도 모른다. 나는 생각이 끝나자마자 꽃을 손으로 비벼 산산조각을 만들었다. 그 후로는 그저 죽는 것을 포기했다. 이 거지 같은 세상에서 누군가가 나를 저 꽃처럼 죽여주기를, 하는 마음으로.

아무튼, 지금의 나는 나를 그 누군가도 찾지 못하는 곳으로 몸을 숨기고 있다. 내 고향, 아이돌이 되기 전 그 집으로 말이다. 사실 이곳에서 또 한 번 자살 시도를 해 보려고 한다. 몇 년 전에 있었던 일이다. 우연히 본 TV 방송에서 폐허가 된 처참한 마을의 모습이 드러났는데, 그 마을의 모습이 마치 꿈에서 본 것 같이 익숙했었다. 궁금해진 나는 SNS를 뒤지며 그 마을이 어디 있는지 찾아보았다. 사람의 감이라는 것이 무시할 게 못 된다는 말이 괜히 있는 게 아니다시피 그 마을은 나의 고향이었다. 허름한 사탕 가게와 문구점이 처절하게 부서진 모습이 생생하게 나의 눈에 담겼다. 그 후로 그곳을 다시 찾아가 보았다. 사실 형이 그곳에 있을 수도 있다는 희망도 조금 품고 있었다. 가는 길이 멀기에 지하철과 버스를 수십 번 환승하며 날을 지새웠다. 마을에서 조금 떨어진 곳까지만 버스가 다니기 때문에 나는 그 역에서 내린 다음 허름한 구멍가게에서 어린이용 자전거를 하나 구매했다. 쉴 새 없이 페달을 굴리다 보니 도착한 나의 마을은 역시 화면으로 본 것처럼 폐허가 되어 있었다. 무수하게 자란 풀과 꽃들은 왠지 모를 섬뜩함을 안겨주었다. 종말이 온 이 세상에 나 혼자 남겨진 것 같은 느낌이 들었다.

 괜스레 마음이 후련해졌다. 이곳에 조금 오래 머무르고 싶었다. 그렇게 다음을 기약하고 나는 다시 서울로 올라갔다. 이런 방식으로 다시 고향에 갈 것을 약속한 건 아니었지만 모쪼록 오랜만에 가는 고향이니 지금의 나는 잡다한 생각 없이 예전처럼 지하철과 버스를 오가며 고향에 도착했다. 고향의 모습은 여전했다. 아무도 날 찾지 못하는 곳에서 나는 아름답게, 또는 비참하게 죽을 계획이다. 급하게 챙겨온 배낭 가방에는 음식이나 생존용품을 챙기지 않고, 주방용 칼이나 밧줄을 챙겨왔다. 정말 이번에는 확실하게 죽을 계획이다. 하지만 이곳에서 잠적한 지 이틀째인데도 벌써 배가 미친 듯이 고파왔다. 어쩔 수 없이 마을에서 조금 떨어진 가게에 찾아가게 되었다. 가게에 들어서자마자 가게의 주인으로 보이는 나이가 많아 보이는 아주머니가 보였다. 그 아주머니는 나를 신기하게 보다가 먼저 말을 걸었다.

"여긴 사람이 안 사는데."
"…"

"어떻게 들어오셨어?"

"이 가게 옆에 폐허가 된 마을이 제 고향이에요."

"나도 그래. 여기서 몇십 년을 살았는데, 몇 년 전에 갑자기 정부가 사람들을 쫓더니 마을을 부숴 버리더라."

"그럼 지금은 어디서 사세요?"

"여기서 살지."

아주머니의 대답은 의외였다. 근처가 온통 허허벌판인데 어떻게 여기서 살고 있는 것인지 궁금했다.

"여기 주변에는 집도 마을도 아무것도 없던데요."

"이 옆에 또 다른 곳이 있어. 그곳에서 살아. 여기가 내 무덤일 거야. 이 가게를 내가 벌써 3대손째 물려 하고 있거든."

"...저도 여기가 제 무덤이에요."

"왜, 학생. 기분이 안 좋아 보여. 아줌마한테 다 말해 봐."

오랜만에 어른에게 받는 따뜻한 말 한마디에 나의 굳어있던 마음은 사르르 녹아내렸다. 그제야 인간이 된 것 같았다. 마음속에서 곪은 설움이 터져버렸다. 나는 그 아주머니 앞에서 눈물과 콧물을 질질 짜며 대성통곡했다. 그러다 아주머니에게 나의 인생사를 전부 읊기 시작했다. 물론 살인을 한 이야기는 뺐다.

"학생, 세상은 원래 그렇게 험난한 곳이 아니야. 인생이란 아름다운 거야. 학생 참 힘들게 살아왔네, 그동안 얼마나 많이 힘들었을까. 얘기만 들었는데 나도 눈물이 다 나네."

"저, 제 인생, 진짜 어, 어떡하죠. 저 너무너무 힘, 힘들어서, 살고 싶지 않아요. 그래서, 그래서 여기 온 거예요. 자살, 하, 하려고요."

아주머니는 투박한 손으로 나의 손을 꼭 잡아 주었다. 그러다 자살이란 말이 튀어나오자 나에게 안겨 같이 눈물을 흘려주었다.

"어떡해, 이렇게 여린데. 이렇게 여리고 예쁜데. 이런 가여운 아이를, 세상이 망쳐놓았어."

아주머니는 나를 안고 있는 팔의 힘을 느슨하게 풀다가 나와 눈을 맞추며 말했다. 잠깐이었지만 서른 먹은 내가 아이가 된 것 같았다.

"이곳에서 잠시 머무를 생각 있니?"

나는 잠자코 있다가 고개를 천천히 끄덕였다. 그때부터 나는 그 가게에서 며칠간 눌러살겠다고 다짐했다.

*

아주머니네 가게에서 생활하게 된 나날들은 다분히 일상적이고 편안했다. 딱히 이렇다 할 자살 충동도 느껴지지 않았다.

예전에는 항상 아침을 먹지 않고 일하는 것이 당연시되었는데, 드디어 삼시 세끼를 제대로 먹을 수 있어서 좋았다. 처음 들어온 날, 아주머니가 가게에 얹혀사는 대가로 매일 본인과 사진을 찍어달라고 요청했다. 아무래도 내가 아이돌 활동을 할 때 팬이셨던 것 같다. 나는 흔쾌히 매일 아침 아주머니께 사진을 찍어 드렸다. 가끔 느꼈던 거지만 아주머니가 날 볼 때마다 미소를 지으셨긴 했다. 확실한 건 나쁜 의도를 가지고 계신 건 아닌 것 같다. 나는 잠시 생각을 비우고 할 일 없이 한가롭게 침대에 누웠다. 그러다 깜빡 잠에 들어 버렸다.

*

일어나보니 아주머니는 나의 하체 쪽을 더듬은 상태로 내게 기대어 누워있었다. 게다가 바지가 벗겨져 있기까지 했다. 그 상황이 당황스러웠던 나는 아주머니를 불러일으켜 세웠다.

" 아주머니, 그···. 일어나세요. 아주머니?"

아주머니는 내 말을 듣고 천천히 눈을 치켜떴다. 그러더니 날 보고 흠칫 놀라며 미안하다는 말을 얼버무리다 거실로 나갔다. 기분이 썩 좋지 않았다. 하필 더듬고 있던 게 하체 쪽이라서 의도된 게 아닌가 하는 생각도 들었다. 하지만 아주머니는 거의 내 생명의 은인 같은 사람이라서, 이 사람이 아니었다면 지금쯤 나는 세상에 없었겠구나 하는 마음도 있었기에 이번만큼은 너그럽게 이해하기로 다짐했다. 나는 잠시 가게 밖을 나가서 폐허가 된 나의 고향을 둘러보았다. 천천히 부서진 잔해들을 즈려밟으며 생각을 다시금 정리하고 그 주변을 배회했다. 오래된 문방구 간판이 너덜거리는 게 보였다. 무너진 콘크리트와 정체 모를 수많은 돌덩이의 사이에는 이끼가 무성했다.

 나는 잠시 걸음을 멈추고 무릎을 굽혀 손으로 이끼를 쓰다듬어 보았다. 문득 세상이 아름답게 보였던 것 같다. 나는 그때 결심했다. 목숨을 스스로 끊을 생각은 그만하고, 이제부터 정상적으로 살아보자, 라고. 사실 그곳에 그만 머무르고 싶었던 걸 수도 있다.

 나는 밟아 온 건물의 잔해들을 뒤쫓으며 다시 가게로 향했다. 가게 안에서 TV를 보는 아주머니가 가장 먼저 보였다. 아주머니 뒤에는 그녀의 것으로 추정되는 켜진 핸드폰이 있었다. 잘못 본 건지 그 핸드폰 안에는 나의 실루엣이 보였다. 나는 조심스레 다가가서 핸드폰을 낚아챘다. 다행히 아주머니는 눈치채지 못한 것 같았다. 꺼진 전원을 다시 한번 켜니 곧바로 나의 사진으로 도배된 사진 창이 훤하게 보였다. 전부 다 내가 잠을 청할 때의 사진이었다. 동영상이 첨부되어 있기도 했는데, 내용을 말하자면 조금 충격적이다. 자고 있는 나를 성추행 한 것으로 보인다. 어쩐지 아주머니가 얼마 전 나에게 수면제를 먹인 적이 있었다.

 ...조금 역겨웠다. 이곳에서 더이상 있을 수 없겠다는 마음이

든 나는 우선 내가 잠시 머물렀던 방에 먼저 들어가서 짐을 쌌다. 그러자 아주머니가 뒤에서 날 쳐다보고 있는 시선이 느껴졌다. 아주머니는 나지막하게 물었다.

"어디 가려고?"
"아, 아주머니, 저 이제 떠나려고요. 그동안 정말 감사했어요."

 아주머니는 의미심장한 눈을 하고서는 나에게 간단하게 작별인사를 했다. 그렇게 나는 뒤를 돌아섰다. 그러나 그 순간 나의 복부가 갑작스레 따뜻해졌다. 순식간에 눈앞이 흐려지며 복부에서 출혈이 미친 듯이 났다. 뒤에서는 소름 돋게 웃는 소리가 났다. 카메라 셔터 소리도 났었던 것 같다. 곧장 나는 그 자리에서 쓰러졌다.

*

눈을 뜬 곳은 다름 아닌 병원이었다. 어렴풋이 본 듯한 병실이 눈앞을 아른거렸다. 아, 어렴풋이가 아니다. 여긴 분명 누온 씨를 처음 만났던 병원이었다. 나는 당장 떨리는 손으로 의사 호출 버튼을 눌렀다. 온몸에서 식은땀이 줄줄 흘렀다. 초조했다. 대체 이게 어떻게 된 일인지 아무나 붙잡고 물어보고 싶었다. 잠시 후 익숙해 보이는 뿔테 안경을 쓴 젊은 의사가 병실로 도착했다. 의사는 내게 익숙한 첫마디를 꺼냈다. 내가 5일 동안 누워있었다는 얘기였다. 나는 초조해서 손톱을 물어뜯다가 그 의사에게 궁금한 점을 물어보았다.

"제가 무엇 때문에 입원했나요?"
"암으로 퍼질 수 있는 종양이 호흡기관에서 발견되었어요. 즉각 처리해야 없어질 겁니다. 최소 석 달은 입원을 하셔야 할 것 같습니다."

 복부에 칼이 찔린 것이 요인이 아니었다. 그건 분명 몇 달 전의 일이었다. 나는 의사에게 또 한 번 물어보았다.

"그럼, 이 병원의 병실 어딘가에 정신병원에서 온 여자가 있나요?"
"누온 씨말인가요? 그분을 별로 무서워하시지 않아도 됩니다. 조현병을 앓고 있지만 착한 분이라서요."

 누온 씨, 누온 씨… 그녀의 이름이 머릿속에서 무한대로 울려 퍼졌다. 누온 씨가 살아 있는 몇 달 전으로 돌아온 것 같다. 나는 잠시 모든 행동을 멈추었다가 의사에게 가봐도 된다고 정중하게 말했다. 마침내 의사는 병실을 나가고 나는 혼자가 되었다. 옆 방에서는 몇 달 전 들은 간호사들의 대화가 들려왔다. 이대로 그 미친 여자를 만난다면 분명 난 또 미친듯한 괴로움에 시달릴 게 분명했다. 나는 병실 문을 꼭 잠그고 이대로 시간이 빠르게 흘러가기를 빌었다. 그러다 누군가가 내 방문을 두드렸다. 듣기만 해도 소름 돋는 그 여자의 목소리가 들려왔다.

"저기, 계세요? 저기요."

 나는 이 순간이 빠르게 지나가길 우주에 빌었다. 점차 두드리는 소리가 들리지 않았다. 안심한 나는 한숨을 푹 쉬며 창문으로 저 멀리 풍경을 바라보았다. 그러다 창문에 갑작스럽게 그 여자가 얼굴을 들이밀었다. 죽을 듯이 깜짝 놀란 나는 닭살이 돋은 피부를 어루만지며 어리바리하고 있었다. 누온 씨가 밖에서 창문을 열더니 내게 말을 걸어왔다.

"여기 있었네요, 강하 씨. 한창 찾고 있었어요."

난 최대한 그녀를 모르는 척 외면하며 말했다.

"네? 누구신데 맘대로 이러세요, 사생이세요?"

"사생이라뇨, 아 참. 강하 씨, 저희 같은 복도이니 잘 지내봐요. 그저 인사하려고 온 것뿐이에요."

"제 이름은 어떻게 아셨어요?"

"유명하시잖아요. 아, 아뇨 아뇨. 그렇다고 팬이라는 건 아니예요."

잊고 있었다. 그녀는 수십 년을 나와 내 형을 찾으러 다녔다. 피하려야 피할 수 없는 운명이었다. 나는 뻔뻔한 그녀의 행동에 소름이 끼쳤다. 누온 씨는 잠깐의 정적을 깨뜨리고 다시 말을 걸었다.

"아, 계속 창문에서 얘기하기가 너무 힘든데, 혹시 병실로 잠깐 들어가도 되나요?"

"오시던가요."

나는 즉시 창문을 닫고 방문도 걸어 잠갔다. 절대 문을 열어 줄 생각이 아니었다. 그녀는 내가 병실 문을 걸어 잠그자마자 무섭게 문을 두드려댔다. 그러고선 궁시렁대며 잘 들리지 않게 역정을 내더니, 다시 방으로 되돌아갔다. 다음 날아침까지 문을 열어 줄 생각은 전혀 없었다. 나는 태평하게 침대에 잠시 몸을 기대어 잠을 청했다.

일어나보니 벌써 병실의 안에는 어둠이 드리우고 있었다. 나는 황급히 불을 켜려고 벽을 더듬거렸다. 불을 켜자 가장 먼저 보인 것은 방의 구석에서 몸을 한껏 구부리고 앉아있는 그 여자의 모습이었다. 그녀는 섬뜩한 눈동자를 굴리며 나를 쳐다보았다. 그러다 그녀의 입가에는 미소가 지어졌다. 그녀는 나에게 한번 숨을 고르고 말했다.

"강하 씨, 일어나셨나요?"
"나가세요."
"저에게 왜 이리 적대적인가요, 네? 강하 씨?"
"왜 이러세요."
"…연기하는 것도 힘드네요. 그거 알아요. 강하 씨?"
"저도 강하 씨와 함께 7달 전으로 돌아왔어요. 모르셨죠, 그 쵸?"

그동안 내가 착각 중인 줄로만 알았다. 하지만 더 큰 문제를 직면하고 말았다. 그녀는 나와 함께 뒤틀려진 시공간에 갇혀 버렸다.

"다시 만나게 되어 기쁘네요, 강하 씨도 그렇죠?"
"꺼져, 미친년아,"
"왜요, 저 보고 싶지 않았어요? 강하 씨, 이 얼마나 위대한 가요. 제가 살아났어요. 강하 씨가 절 몸에 담았잖아요, 그래서 우리는 영원히 함께인 거예요. 강하 씨가 제 육체를 마구 먹어버려서요. 정말 못 말린다니까요. 아 참, 강하 씨가 절 토막 낼 때도 저는 다 듣고 있었어요. 어떻게 이 상황이 가능해진 걸까요? 우주의 뒤틀림? 그것도 아니면 제가 강하 씨를 마구 죽여도 된다는 신의 계시? 어느 쪽이라도 저는 감사히 받게 될 것 같아요. 이 우주에게 나의 바람이 이루어지게 해주어서 감사하다고요."

 계속해서 뒷걸음질 쳐도 병실은 터무니없이 작았다. 내가 그녀를 죽일 때 사용했던 칼을 손에 꼭 쥐고 점점 다가오는 그 여자를 피해 나는 병원의 데스크로 달려갔다. 데스크에서 나는 상황을 설명하며 미친 듯이 떨고 있었다. 잠시 후 그녀가 떳떳이 데스크로 오는 것이 보였다. 그녀는 자초지종을 조용히 설명하더니 구석에서 머리를 부여잡고 있는 나의 손을 잡았다. 그러다 나지막이 말을 꺼냈다.

"강하 씨, 가요."
"시, 싫어, 싫어, 가, 꺼져,"
"지금 안 가면 여기서 수치스럽게 해 드릴 거예요."
"미친년, "

 순식간이었다. 그녀는 계속해서 본인을 거절하는 나를 매섭게 쳐다보다가 모두가 주목하고 있는 곳에서 나를 찔렀다. 바로 몇 시간 전 느꼈던 감각과 비슷한 따뜻한 피가 울컥울컥 쏟아져 나왔다. 그리고 나서는 그녀 본인 스스로를 강하게 찔렀다. 데스크는 금세 피바다가 되었고, 병원에는 혼란이 찾아왔다. 그 무렵, 나는 눈을 또 한 번 감았다.

*

다시 한번 그날로 돌아왔다. 이건 미친 게 분명했다. 나는 고래고래 소리를 지르며 머리를 쥐어뜯었다. 간호사와 의사가 허겁지겁 나에게 들려왔다. 그들이 말하는 소리가 귓등으로도 들리지 않았다. 나는 누온 씨의 병실로 달려갔다.

"씨발, 씨발, 씨발!"
"강하 씨, 준비되셨나요? 저의 게임의 주인공이 될 순간을."
"죽어, 죽어, 개새끼야,"

나는 그녀의 멱살을 확 잡고 수차례 흔들었다. 이미 제정신이 아니었다.

"이게 어떻게 된 건데, 설명해, 미친년아!"
"진정해요, 진정. 앞으로 많이 남았으니까요."

그 말을 끝으로 그녀는 나를 계속해서 찔렀다. 익숙한 감각이 몸을 맴돌았다. 너무나도 고통스러웠다. 찢어질 듯한 괴성을 지르며 또 한 번 나는 병실로 돌아왔다. 병실 안에는 이미 그 여자가 자리하고 있었다. 나는 그녀에게 욕을 퍼부었지만, 별 소용이 없었다. 그녀의 안광은 광기에 서려 있었다. 또다시 그녀는 나를 찔렀다. 그리고 그 후로는 몇백 번, 몇천 번, 몇만 번이나 계속해서 나는 죽임을 당했다. 얼마나 죽임을 당한 건지 셀 수도 없을 만큼 계속해서 시간은 야속하게 루프 되었다. 그렇게 나는 체감상 몇 시간 동안 계속해서 그녀에게 찔렸다. 그러다 몇 시간이 지났을까, 그녀는 잠시 행동을 멈췄다. 나는 그녀의 팔을 붙잡고 매달리며 고통스러운 목소리로 말했다.

"누온 씨, 미, 미안해요, 사랑해요, 저 당신을 정, 정말 사랑하는 것 같아요, 그러니까, 그러니까 제발, 제발 그만해주세요. 제발요. 사랑해요, 미안해요, 누온 씨, 미안해요,"
"왜 당신이 미안해요? 내 엄마가 미안해야지."
"그런데, 그런데 왜, 저를 계속해서 죽이시는 건가요."
"그냥요. 당신의 웃는 얼굴이 짜증나서요."

 나는 다시 한번 큰 충격을 받았다. 웃는 모습이 짜증나서 죽이고 싶었다는 것이 믿기지 않을 정도로 크게 충격적이었다.

"...그게, 그게… 다인가요?"
"그럼 무슨 말을 더 하길 원하셨나요?"

 허망한 감정이 나를 덮치는 느낌이 났다. 어쩌면 나는 조금의 기적을 기대했을지도 모른다, 한 줄기의 희망도 없는 이곳에서.

그녀는 칼을 든 팔을 잠시 내려놓았다. 할 말이 있는 듯한 얼굴을 하고 있었다. 그리고 그녀는 말했다.

"언제나 이야기는 해피엔딩으로 끝나요."

무슨 뜻인지 이해할 수 없었다. 그녀는 알 수 없는 말들을 늘어놓았다.

"지금 저의 상황은, 완전히 해피엔딩이에요."
"...그렇지 않나요?"
"저는 평생을 해피엔딩으로 살았어요. 당신과는 다르게요. 그러니 당신에게 마지막 결말을 양도하도록 할게요. 어떤 쪽이 좋을까요? 영겁의 굴레에서 죽음과 생을 반복하는 결말? 아니면 여기서 루프를 그만두고 당신을 풀어주는 결말? 그것도 아니면 당신이 절 영영 사후에 갇히게끔 하는 결말? 어느 쪽이든 좋으니 선택하세요. 전 제 한을 다 풀었으니까요."

나는 그녀의 말을 듣고 천천히 생각하다가 답을 내놓았다.
"어린 시절로 되돌아가게 해주세요."

그녀는 생각지 못한 나의 답변에 당황한 기색을 보였다.

"어째서요? 절 죽이고 싶지는 않으세요?"
"살다 보니 깨달았어요. 전 당신같이 누군가를 죽이며 행복을 이루고 싶지 않아요. 개인적으로 그렇게 한을 가진 사람도 없고요. 그저 저는 형을 만나서 이야기를 몇 번 소박하게 나누어보고 싶네요. 기적 같은 건 바라지도 않아요. 그게 제 마지막 바램이에요."

그녀는 날 보며 흠칫 놀라고 나서는 황당한 눈빛으로 한동안 쳐다보았다. 그러다 정말 기적이 일어났다.

"강하 씨, 당신의 바람 잘 알겠어요. 그동안 죄송했네요. 사실 강하 씨의 그런 마인드를 부러워했어요. 어쩌면 동경했을지도 모르겠네요."

누온 씨를 감싼 안광의 느낌이 예전과는 달랐다. 그녀의 눈빛은 연기하는 사람도, 영혼이 없는 것도 아닌 처음 보는 눈빛이었다. 마치 거대한 희망을 품고 있는 사람처럼, 누온 씨를 향해 어떠한 따뜻한 무언가가 느껴졌다. 누온 씨는 천천히 내게 손을 뻗었다.

"그럼, 과거로 돌려드릴게요. 눈을 감아 주세요. 하지만 당신의 형을 만나고 그 후로의 일은 짧으니 명심해주세요."
"..네."
"그럼, 행운을 빌어요. 강하 씨. 응원할게요."

나는 천천히 눈꺼풀을 내렸다.
시야는 캄캄했고 어둠 속에서는 아무런 소리도 들리지 않았다. 그렇게 몇 분간 있었나, 눈을 떠야 하는지 궁금해질 무렵에 나는 조심스레 눈을 떠 주변을 살펴보았다. 주변에는 온통 여러 종류의 꽃과 들판이 푸르르게 피어나 있었고, 하늘을 가득 메운 뭉게구름이 넘실대었다. 나의 주변에는 아무도 없었다. 나는 조심스레 발걸음을 움직이기 시작했다. 어디로 가야 할지는 몰라도, 마음이 이끄는 곳으로 계속해서 걸음을 옮겼다. 그러자 들판 저편에 있는 작은 마을 하나가 어렴풋하게 보였다. 신발을 적시는 맑고 시원한 물웅덩이에 발을 빠뜨리며 어스레한 골목을 지나 마을의 입구에 도착했다. 참 이상하다. 계속 여기 있었는데, 마치 깊은 꿈을 꾼 듯이 정신이 조금 몽롱했다. 나는 신경 쓰지 않고 형과 축구를 하러 가기로 마음먹었다.

　허름한 집터들 사이로 혼자서 환히 빛나는 우리 집을 발견했다. 나는 문을 열고 곧바로 높이 있는 창문으로 형을 불렀다. 창문에서 보인 형은 숙취에 시달리던 아버지의 눈치를 슥 보다가 계단을 내려와 문을 열고 축구공을 나에게 던졌다. 나는 축구공을 받고 형에게 빨리 오라며 손짓했다. 형은 뛰어가고 있는 나를 어느새 좇아 어깨에 팔을 올리며 웃었다. 나는 형의 팔을 슬그머니 내리고 축구공을 드리블하며 앞을 향해 걸었다. 그러다 문득 무언가를 잊은 듯한 기분이 들었다. 그러나 오랜 시간 동안 고심하기에는 당장 지금의 상황이 너무나 행복하기에 나는 금방 그 기억을 잊어버리고 말았다. 축구장에 도착했을 때는 먼저 와 있는 동네 형들이 눈에 띄었다. 그렇게 해가 질 때까지 계속해서 축구 경기를 하다가, 형이 갑자기 근심 가득한 얼굴을 하며 말했다.

"집에 가야 하지 않을까? 지금 해 지는데…"

유난히 오늘을 만끽하고 싶은 기분이 들었던 나는 형의 말에 웃으며 대답했다.

"형, 오늘은 조금만 더 놀다 가자."
"그렇지만 늦으면 아버지가,"
"형, 당장 오늘을 생각해. 오늘 아니면 못 놀 수도 있잖아, 당장 내일 우리에게 무슨 일이 닥칠 수도 있고. 그렇지 않아?"

형은 의심하는 눈초리로 나를 보다가 물었다.

"너 그거 장담해서 하는 말이지? 집에 들어가서 아버지한테 맞으면 나도 모른다."
"그래, 오늘은 그냥 해 질때까지 노는 거야. 알았지?"

그 말을 끝으로 우리는 형들과 축구 경기 몇 판을 거진 9번이나 더 했다. 마지막 축구 경기가 끝났을 때는 이미 날이 다 저물어 있었다. 결국, 모든 동네 형들이 다 집에 가고 없을 때까지 우리는 축구장에 남아있었다. 지칠 대로 지친 우리는 땀이 마구 스며든 티셔츠를 손으로 들었다 놨다 통풍하며 인공 잔디 바닥에 누웠다. 밤공기의 서늘함이 금방 몸을 춥게 만들었다. 그 순간에는 형의 숨소리밖에 들리지 않았다. 나는 밤하늘을 가득 눈에 담으며 별자리를 찾아보고 있는 참이었는데, 형은 그런 나에게 동쪽 밤하늘에 궁수자리가 떠 있다며 손짓했다. 형의 손끝이 향해있는 곳에는 정말로 궁수자리가 아름답게 떠 있었다. 나는 나지막하게 진짜 떠 있네, 하며 말하려다 입을 닫았다. 엄밀히 따지자면 사실 궁수자리의 모양을 잘 몰랐었다. 여하튼 그렇게 몇 분간의 정적이 흘렀고, 우리는 떠 있는 별을 눈으로 세밀하게 관찰했다. 아버지의 속박 속에서 벗어나 있으니 범죄를 저지르는 것 같기도 해서 겁났지만, 한편으로는 인생 처음 해 보는 일탈이라서 즐거웠다. 더욱이 형과 함께여서 좋았다. 오늘 하루는 너무, 너무 행복했다. 그렇게 얼마 동안 더 누워있으니 자연스레 잠이 왔다. 지금 자면 다시는 못 깰 것 같아서, 나는 쏟아지는 잠을 면하려고 볼도 때려보고 눈도 힘껏 크게 떠보았다. 그런 나를 보더니 형은 졸리면 자라면서 머리를 몇 번 툭툭 만졌다. 형이 있어서 다행이다. 형을 다시는 못 본다면 너무 슬플 것 같았다. 나는 형에게 사랑한다는 말 한 마디를 남기고 잠을 청했다. 꽤 깊은 꿈을 꿀 것 같은 기분이 들었다.

*

눈을 뜨니 이미 내 볼은 눈물로 한껏 적셔져 있었다. 볼을
타고 턱 끝에 맺힌 눈물방울이 바닥을 향해 떨어졌다. 형을
봤었던 것 같다. 분명히 그건 꿈이 아니었다. 생각해보면 어
린 시절에 있었던 일 중 하나였던 것 같다. 형과 그 인공 잔
디밭에서 자고 난 후 아침이 왔을 때, 우리는 곧장 집으로
달려갔지만, 아버지가 우리를 죽도록 패셨다. 그랬던 것 같
다, 기억상으로는. 하지만 내 인생에서는 그때가 가장 행복했
던 것 같다. 밤하늘의 반짝이는 별들을 그렇게 세세하게 살
펴본 적이 그때뿐이라, 더욱이 인상에 깊게 남은 것 같다.
사실 밤하늘조차 올려다볼 겨를이 없을 정도로 쉴 틈 없이
살았었다. 오랜만에 본 제대로 된 나의 고향은 기억 속의 모
습과 똑같았고, 그 정겨움에 나도 모르게 눈물이 난 것 같
다. 형과의 기억 중 가장 소중한 기억을 꾼 것 같기도 하다.
내 옆을 지키고 있던 누온 씨는 웃음을 핏, 터뜨리더니 내게
물었다.

"대체 무슨 기억이었던 거예요? 형과의 가장 소중한 기억은.
울 정도예요? 아이도 아니고."
"됐어요, 신경 끄세요."
"...이제 어떡할 거예요?"
"뭘 어떻게 해요?"

"그냥 절 죽여주세요. 어차피 살 이유가 없네요."

"죽으면 어디로 가는지 알아요? 죽음이 무섭지 않나요?"

"이미 몇백 번 죽어봤는데 뭐가 무섭겠어요. 그만큼의 고통
도 수없이 느껴봤어요. 당신 덕분이에요. 이대로 사는게 더
고통스럽겠어요. 전 모든 것을 포기했으니까요. 차라리 영원
한 암흑 속에 갇혀서 고통받지 않고 편하게 살게요."

"그럼 새 삶을 준다고 하면 어때요?"

"됐어요."

"왜요? 재미있을 텐데."

"됐다니까요."

"아니면, 그건 어때요? 이 모든 일을 다 없애버리는 거예
요."

"어떻게 없애실건데요?"

" … "

"당신은 처음부터 망상을 꾸고 있었던 거예요."

"네?"

"지금 일어나는 일은 모두 어린 당신의 망상일 뿐이에요."

"말도 안 되는 소리 하지 마세요."

나의 말이 끝나자마자 그녀의 모습은 온데간데없었다. 익숙
한 단칸방이 보였다. 뒤를 돌아보니 형은 된장국을 끓이고
있었다. 된장국의 진득한 냄새가 몸에 다 배고 있었다. 그러
다 형이 말했다.

"강하야, 저녁 먹자. 뭘 그렇게 보고 있어? 몇 시간째야."

나는 창밖을 보는 것을 멈추고 형에게 대답했다.

"아, 미안. 잠깐 상상을 하고 있었어."
"무슨 상상 했는데?"
"...모르겠어. 근데 엄청난 꿈을 꾼듯이 몽롱해."
"그렇구나. 빨리 수저 들어. 식겠다."

 된장국을 몇 입 먹어보니 살짝 매콤하고 따뜻한 맛이 느껴졌다. 김치와 밥, 김을 같이 섞어서 먹으며 굶주린 배를 채우고 있었을 즈음이다. 그런데 무언가를 잊어버린 듯이 찝찝한 기분이 살짝 들었다. 어딘가 이상한 기분이었다. 나는 밥을 먹다 말고 수저를 내렸다. 그리고 나서 무언가에 홀린 듯 현관문을 열고 밖으로 서둘러 나섰다. 형은 그런 나의 팔을 세게 붙잡고 이 시간에 어디를 나가냐며 언성을 높였다. 나는 형의 팔을 뿌리치고 밖으로 줄행랑쳤다. 상가의 계단을 하나씩 내려온 다음 조그마한 대문을 열고 그 앞에 섰다. 그리고 하늘을 보았다. 하늘은 변할 새 없이 여전히 푸르렀다. 나는 하늘을 보며 대문 바로 앞에 멈춰 섰다. 나의 뒤를 바짝 따라온 형이 숨을 헐떡이며 짜증을 냈다.

"뭔데, 너! 왜 자꾸 무섭게 그러는데, 좀…"
"그게 아니라, 형"
"지금 아버지도 집의 계시다고, 우리 나간 줄 알면 눈 돌아가는 거 몰라?"
"하늘을 봐봐."
"뭘 다짜고짜 하늘을 보래. 자, 봤다. 됐지? 이제 들어가자,

응? 강하야."
"내가 무언가를 잊은 게 아닐까?"

형은 한숨을 한번 푹 쉬고 내 손을 잡아끌었다.
"가자, 빨리. 된장국 마저 먹자. 너 이러면 나만 힘든 거 몰라?"

의문점이 몇 가지 있었다. 분명 방금까지, 누군가와 형이 아닌 누군가와 있었던 것 같은데, 도대체 뭔지 기억이 나질 않았다.

"야, 뭐하냐고! 가자고!"

형은 돌아 서 있는 내 등을 두어 번 때리고 결국 혼자 계단을 올라갔다. 그때, 누군가의 이름이 떠올랐다.

'아, 누온.. 누온, 누온 이었을 거야.'

모든 게 수중 위로 떠 오르기 시작했다. 나는 계단을 올라가는 형을 붙잡고 말했다.

"형, 나랑 나가자."

형은 나를 보며 인상을 한껏 찌푸리고 한숨을 쉬었다.

"정신 좀 차려."

"이 비정상적인 세상에서 같이 탈출하자."
"뭐라는 거야? 돌았나 진짜."
"내 손 잡아, 뛰자."

형은 내 말에 반박하려다 멈칫하며 나를 진지하게 보았다. 나는 즉시 형의 손을 낚아채고 세상의 끝을 향해 뛰었다. 결말이 다가오고 있었다. 형은 체력이 다 된 건지 숨을 가파르게 쉬며 대체 어디를 가는 거냐며 물었다. 어디로 가는지는 나도 몰랐다. 그저 이야기의 끝을 향해 달리고 있었다. 그 끝이 화려한 해피엔딩일지도 비극적인 배드엔딩일지도 모른다. 그저 앞을 향해 달려갈 뿐이었다. 애초에 삶이라는 게 엔딩으로 장식된 하나의 극 보다는 더욱 도박일지도 모르고.

*

새벽의 기분 좋은 밤공기가 열린 창문으로 새어 들어왔다. 지지직거리는 낡은 TV가 괴성을 지르는 듯한 소리처럼 들렸다. 저 멀리 방에서는 그들이 잠꼬대로 이불을 발길질하는 소리가 들렸다.

나는 잠시 내 눈에 담긴 세상을 천천히 넓게 둘러보았다. 깊은 심해에 잠긴 듯 먹먹한 세상의 소리가 들렸다. 나는 모든 걸 이제야 이해할 수 있었다. 운명은 정해져 있다는 것도 알았다. 내 삶을 한낱 구렁텅이로 치부할 수 있다고 장담할 수 있다. 나는 그렇게 모든 것을 깨우친 오늘, 내 스스로 나의 마지막을 정리하려고 마음먹었다.

발밑에 놓인 깨진 술병의 조각들이 마구잡이로 내 발에 깊게 박혔다. 외투 왼쪽 주머니에 오랫동안 넣어 놓고 있었던 너덜너덜해진 담뱃갑 안에는 오래된 것 같아 보이는 담배 하나가 남아있었다. 나는 그 담배를 쥐었다. 그러고는 쓰레기가 가득한 바닥을 뒤져 라이터를 찾아내었다. 그것마저도 오래된 것인지 불이 잘 나오지 않자 나는 계속해서 라이터 불 켜는 것을 반복했다. 그리고 담배에는 불이 붙었다. 어두컴컴한 집 안에서 담배 하나만이 크게 빛났다. 나는 그들에게 인사를 하러 방으로 들어갔다. 그들은 숨소리 하나 내지 않았다. 방에는 정적이 흘렀다. 나는 그들 앞에 잠시 앉아 그들의 얼굴을 확인해 보았다.

아버지의 곁에서 악취가 심하게 풍겼다. 온갖 벌레들이 그들 옆에서 윙윙대며 그들의 얼굴을 갉아 먹고 있었다. 나는 한참 동안 대답 없는 그들을 바라보다 다 핀 담배를 누온 씨의 입에 꽂아주었다. 그녀는 웃고 있었다. 담배가 유난히 맛있었나보다. 그 옆에 계신 아주머니도 웃고 계셨다. 나는 만족하며 다시 아까 그 자리에 섰다. 그리고는 다시 한번 세상을 쳐다보았다. 세상은 적막뿐이었다. 그리고 내 망상 씨에게 인사했다. 망상 씨가 있었기 때문에 내가 삶을 유지할 수 있었기에. 그는 나에게 살짝 웃으며 수고했다고 나를 토닥여주었다. 그런 다음에 나는 주머니에 들어 있는 조현병약 통을 꺼냈다. 뚜껑을 열고 수십 여개를 손에 쏟아부었다. 그리고 모두 입에 쑤셔 넣었다. 물이 없어서 조금 텁텁하긴 했는데 먹을 만했다. 달달했던 것 같다. 나는 그렇게 강하에게도 인사했다. 강하는 살짝 웃으며 사라졌다. 그리고 그 자리에서 남은 건 그의 형인 나 뿐이었다.

강하야, 나 잘했지? 누온 씨가 널 엄청나게 괴롭혔잖아. 아버지도 거슬렸잖아. 그 변태 같은 아주머니도 너에게 소름 끼치게 굴었지. 내가 그들에게서 너를 편하게 해주었으니 어디 있을지 모를 너도 이제 편하겠지? 난 절대 너가 날 버렸다고 생각 안 해. 모든 건 운명일 뿐. 언젠가 이곳으로 찾아와 줘. 내가 다 썩어 버려서 부패하기 전까지. 기다릴게, 내 삶의 이유, 강하야.

작가의 말

(스포일러 포함, 책을 다 읽고 보는 것을 추천합니다.)

중학교 1학년, 저는 글을 쓰기 시작했어요. 짧은 글부터 긴 글까지 보통 로맨스 장르의 글을 쓰곤 했어요. 그때부터 저는 작가가 되고 싶었어요. 책을 써 보고 싶었고, 저의 문해력을 더 키우고 싶기도 했어요. 하지만 막상 주제가 생각나지 않자 저는 일단 무진장 작업을 시작하기로 마음먹었어요. 글을 쓰다 보니 이야기가 점점 틀에 맞춰지기 시작하며 단단해지더라고요. 그렇게 이 책을 쓰게 되었어요. 이 글은 처음으로 도전해 본 저의 첫 번째 책이기도 하고, 저에게 더 많은 의미를 내포하고 있어요. 어떤 생각으로 책을 읽어주셨을지 궁금하네요. 결말은 해석하는 사람에 따라 다르게 변형되겠죠? 저도 따로 이렇다 할 결말을 정해두진 않았어요. 그저 읽으시는 분들 따름이라고 생각해요.

 이 책을 기괴하다, 잔인하다 정도로만 기억해 주시지 않았으면 해요. 인물 간의 상황이나 정서를 더욱 극대화 시키기 위해 잔인한 묘사를 조금 넣었긴 했지만, 이 책의 의미는 그게 다가 아니거든요. 제목은 누온과 강하의 일그러진 사랑이란 의미도 가지고 있지만, 어쩌면 강하가 자신을 두고 간 분노 때문에 망상을 꾸게 된 제하의 일방적인 애증의 사랑이라고 볼 수도 있어요. 두 가지 뜻을 가지고 있는 만큼 제목도 신중하게 골랐고요.

 강하가 제하를 두고 가서 정말로 이 책의 내용처럼 되었는지, 아니면 행복하게 살고 있을지는 아무도 모르겠지요. 어디

서부터 어디까지가 제하의 망상인지도 알 수 없고요. 책의 후반부에는 강하의 어린 시절의 모습과 현재의 모습이 섞여서 뒤죽박죽인데, 곧 망상에서 깨어날 제하를 암시하는 내용이었어요. 또한, 중간중간 제하의 망상 속에는 아주머니, 어린 시절의 둘 같이 행복을 심어주는 매개체가 있었는데, 그건 강하를 위한 제하의 마음일 거예요. 미칠 듯이 증오하지만, 사랑하는 마음 때문에 어쩔 수 없이 제하의 머릿속에서 그들을 만든 거예요. 제하가 정말 딱하네요…

아무쪼록 긴 글 읽어주셔서 감사합니다. 책을 만들면서 너무 설렜어요. 그리고 책에 대한 이야기도 마구 하고 싶어서 작가의 말을 끄적끄적 써 봤네요. 만약 이 책을 읽어주신 분이 있다면 동서남북 절하겠습니다. 서툰 제 글 열심히 읽어주셔서 감사합니다. 이 글을 읽은 사람, 안 읽은 사람 모두가 세상에 얽매이지 않고 본인만의 결말을 찾아가시길 바랍니다. 다시 한번 감사합니다.